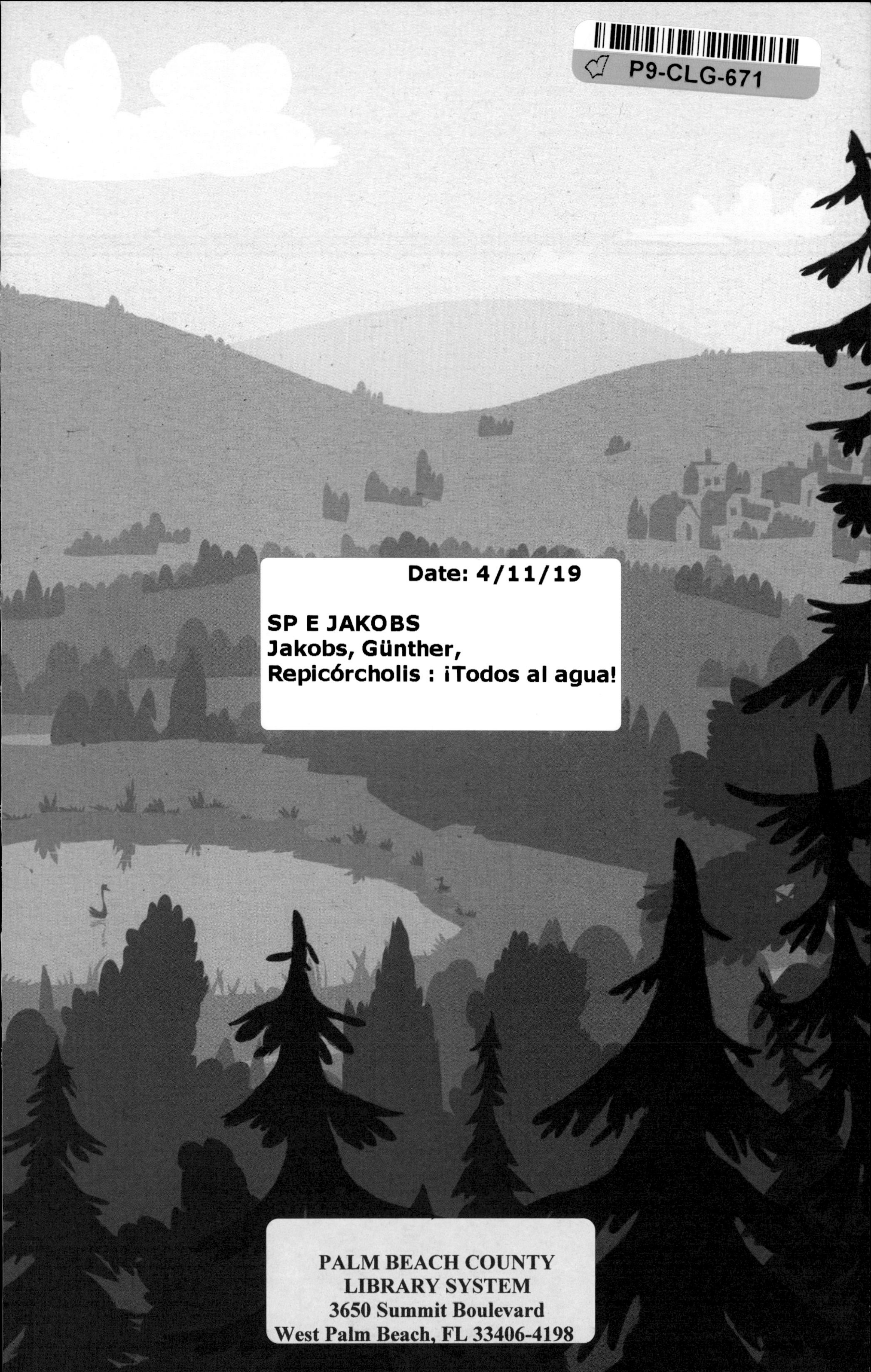

Puedes consultar nuestro catálogo en www.picarona.net

REPICÓRCHOLIS
Texto e ilustraciones: *Günther Jakobs*

1.ª edición: octubre de 2018

Título original: *Schnabbeldiplapp*

Traducción: *Laura Fanton*
Maquetación: *Isabel Estrada*
Corrección: *Sara Moreno*

© 2017, Carlsen Verlag GmbH. Alemania
Título negociado a través de Ute Korner Lit. Ag.
www.uklitag.com
(Reservados todos los derechos)

© 2018, Ediciones Obelisco, S. L.
www.edicionesobelisco.com
(Reservados los derechos para la lengua española)

Edita: Picarona, sello infantil de Ediciones Obelisco, S. L.
Collita, 23-25. Pol. Ind. Molí de la Bastida
08191 Rubí - Barcelona - España
Tel. 93 309 85 25 - Fax 93 309 85 23
E-mail: picarona@picarona.net

ISBN: 978-84-9145-204-1
Depósito Legal: B-21.937-2018

Printed in Spain

Impreso en ANMAN, Gràfiques del Vallès, S. L.
c/ Llobateres, 16-18, Tallers 7 - Nau 10. Polígono Industrial Santiga.
08210 - Barberà del Vallès (Barcelona)

Günther Jakobs

Repicórcholis

¡Todos al agua!

 Picarona

—¿¿¿Qué??? **Repicórcholis**

Eso no puede ser. Eres un pato, un cuellicorto picudo. ¡Los patitos sois todos excelentes nadadores!

—Yo no. No me gusta el agua —contesta el pato tozudo.

Henry lo interrumpe:

—Bueno, ¡eso habrá que verlo! ¡Ven conmigo! Esto lo solucionamos entre los dos. ¿Cuál es tu verdadero nombre, cuellicorto?

—Emil —contesta el pato—, ¿y el tuyo, cuellilargo?

—Henry.

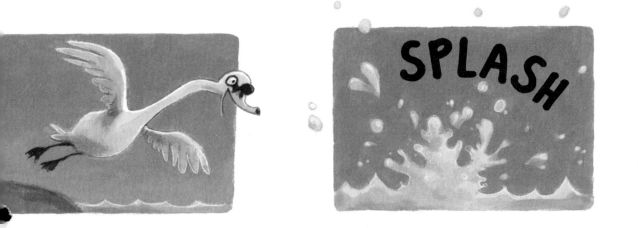

El cielo despejado y un sol radiante: el clima perfecto para un baño.

¡SPLASH! Henry el cisne toma carrerilla y salta al lago.

—BRRRR. —Se sacude—. Está más fría de lo que pensaba…,
¡pero refrescante! ¡Caramba! ¿Y quién es ése?

Allí, sentado en la otra orilla del lago, hay un pato solo y abatido.

Henry nada hacia allí y lo llama desde lejos:

—¿Qué te pasa, pato? ¿No quieres nadar? Se está muy fresquito aquí.

—¡No, gracias! No quiero.

—¿Por qué no?

—No me atrevo —dice el pato titubeante—.
No me atrevo a meterme en el agua.

Henry está horrorizado:

Los dos caminan en dirección al lugar en que normalmente
se aprende a nadar: la piscina municipal.

—Está demasiado lejos para ir a pie. —Henry señala un coche
aparcado y abre la puerta—. Mejor vamos en coche.

Ya han llegado.

—Dos entradas para la piscina, por favor —dice Henry en la taquilla.

Luego atraviesan el vestíbulo y caminan hacia el vestuario.

—Toma, Emil, las vas a necesitar.

Henry le da a Emil una toalla y unas gafas de natación.

—Pero si todavía no sé siquiera si voy a meterme en el agua —objeta Emil.

—Oh, **Repicórcholis**, ¡claro que lo harás!

Y Henry desaparece en el vestuario.

Vuelven a encontrarse al borde de la piscina.

También hay una piscina para no nadadores.

En ella, el agua está calentita y no es nada profunda.

Alrededor de la piscina hay todo tipo de material auxiliar de natación:

manguitos, salvavidas, pelotas e incluso una tabla de natación.

Emil no sabe muy bien qué hacer con ello.

—**Repicórcholis**, al principio puedes

simplemente sujetarte al borde —trata de convencerlo Henry—,

así, por ejemplo. ¿Estás listo?

Pero Emil está muy lejos de estar listo.

—Vaya, he olvidado mis gafas —exclama Emil, y a pasos cortos
y rápidos va y vuelve del vestuario.

—Caramba, ¿y ahora dónde está mi toalla?

Y otra vez al vestuario y de vuelta.

—Ahora tengo que ir urgentemente al baño.

Y así, al baño y de vuelta.

Poco a poco, la cara de Henry se ensombrece.

Emil comienza otra vez:

—Ah, ¿dónde está mi...?

—**¡Repicórcholis!** —le interrumpe Henry—,
¡ya es suficiente! **¡Entra al agua! ¡Y de inmediato!**

Entonces a Emil le entra un ataque
de pánico:

—¡NOOOOOOOOO! ¡¡¡NO quiero!!!

¡BUAAAA!

Henry no contaba con esto.

¡Ahora también tiene que consolarlo!

—Va, cálmate –dice poniendo su ala sobre
el hombro de Emil–. Mira, es muy fácil.

Te lo mostraré todo con detalle.

Primero lo haré yo, y luego lo harás tú.

Es **MUUUY** sencillo.

Henry sube al trampolín.

—¡Mira aquí! ¡Mira allí! ¡Y ahora observa lo que hago!

¡Y esto! Genial, ¿verdad?

Y ahora: increíble, ¿no?
Mira, ¡sin alas! ¡Sólo con una pata!

—Ven, tengo una buena idea: ¡súbete a mis hombros
y entraremos juntos! —propone Henry—. Así no te mojarás.
Emil duda:
—Bueno… Bueno… Vale —y asiente con la cabeza.
—Entonces, ¿lo ves? ¡Es muy fácil!
Henry nada con prudencia en el agua, con Emil sentado sobre sus
hombros.
Éste, poco a poco, empieza a tomarle gusto. Es más, se pone casi loco
de alegría y empieza a moverse de un lado para otro. A Henry eso
no le gusta nada.
—¡No te muevas tanto! ¡Oh, no! ¡No me puedo mantener…!
Henry se tambalea… Vacila… Pierde el equilibrio y…
—Aaahhh…
—¡PAF! Los dos caen al agua.

Vuelven a salir a la superficie. Pero Emil llora y se queja:
—¡**Buaaa**, me has mentido! Dijiste que no me iba a mojar, **buaaa**.
—Lo siento. No pensé que fuera a salir así. ¡Me he caído
porque te has movido demasiado!…Y tú… Pero… Pero tú…,
¡tú ya estás nadando!

¡Y muy bien, **REPICÓRCHOLIS!**

Es cierto, Emil el pato está nadando solo, lloriquea y se sorbe
los mocos, y levanta la mirada… Sigue nadando…
¡Se siente muy feliz!

—No hay nada mejor que bañarse en el agua.
¿No lo crees tú también? —pregunta Henry.
Emil se sumerge y farfulla:
—¡Efto ef abfolutamente maravillofo!

Pasan todo el día en la piscina.
Y, al final, Emil empieza a llorar otra vez:

—¡BUAAA!

Pero, esta vez, por una razón completamente distinta:

—¡No quiero salir todavía!
¡No quiero salir todavía!
¡No quiero salir todavía!